In den Wind geschrieben

Christine - Koch - Gesellschaft
Kleine Reihe Band 2

Zu diesem Buch

Im November 1994 erschien als Band 1 der "Kleinen Reihe" unter dem Titel "Wohnrecht einer Landschaft" eine Anthologie mit Gedichten und Kurzprosa von sieben Autorinnen und Autoren in und aus dem Sauerland. Band 2 der "Kleinen Reihe" stellt in gleicher Aufmachung wieder sieben Schriftsteller und Schriftstellerinnen der Region mit kurzen Beiträgen vor – ein Zeichen, daß der erste Band viel Zuspruch erhielt.

Die mit diesen kleinen Bänden verbundene Absicht der Christine-Koch-Gesellschaft und des Verlages Grobbel ist "Förderung der Literatur im Sauerland" – also fördern, was es schwer hat: Literatur abseits des Literaturbetriebes, Autoren, deren Verwertungsschancen durch die Isolation des ländlichen Raumes, in dem sie leben, gering sind.

"In den Wind geschrieben" – der Titel kann mancherlei signalisieren. Zum Beispiel dies: Im Konkurrenzkampf der Medien um den Markt ist unser Büchlein kaum der Rede wert. Und doch versteht es sich als kleiner Versuch, den gelackten Bilderwelten, den leichtsinnigen Weltbildern dieser Tage entgegenzuwirken. Wenn auch nur als Widerstand auf Zeit.

" In den Wind geschrieben" – das sind nicht die schrillen, sind die leisen Töne der Lyrik und kleinen Prosa, für die es von vornherein noch lange kein zuhörendes Ohr gibt. Worte, die uns der Wind zuträgt, so wir neugierig sind, Zugetragenes zu ergründen.

Alle hier Vertretenen, so unterschiedlich ihre Beiträge sein mögen, haben eins gemeinsam: Schreiben mit Anspruch. Schreiben über das Augenfällige der vordergründigen Realität hinaus. Schreiben gegen die Glätte und Formelhaftigkeit des Sprachalltags. Schreiben als Zeichen von Sprachbewußtsein gegen alle Sprachvernichtung.

Die Texte können neugierig machen, mehr von dem Autor, der Autorin zu lesen und zu erfahren, können die Veranstalter von Lesungen anregen, mehr als bisher Literatur der Region öffentlich zu Gehör zu bringen.

Den ersten beiden Bänden werden weitere folgen.

In den Wind geschrieben

Neue Poesie und Prosa aus dem Sauerland

Herausgegeben von der Christine-Koch-Gesellschaft

Grobbel

Mit freundlicher Unterstützung durch die
burgbad AG, Bad Fredeburg.

ISBN 3-930271-30-3

Herausgeber: Christine-Koch-Gesellschaft e.V., Schmallenberg
Verlag: Grobbel-Verlag, Schmallenberg-Bad Fredeburg

Zusammenstellung: Dietmar Rost, Sundern-Westenfeld
Umschlaggestaltung: TMS Design, Winterberg-Siedlinghausen

Satz und Druck:
Grobbel Druck und Verlag
57392 Schmallenberg-Bad Fredeburg
Telefon 02974/9623-0
Telefax 02974/1288

Printed in Germany

Inhalt

Kein Zeichen frei von Wunsch,
nicht ohne Ahnung je ein Blick;
du hörst nur eine Stimme,
die betören kann – woher geschickt

auch immer. Erhalte dir den leisen Ton,
der ohne Worte klingt und wirkt;
er wiegt dich still und ungesehn –
und so du schwingst, kann er vergehn.

Jürgen Diehl

Jürgen Diehl

Sechs Gedichte

die Birke bricht mir ins Abenteuer
alle Wege haben warme Füße
die Blätter schwindeln mich an
fallen erst morgen noch nicht

die Rinde blättert einen Brief
dich zu küssen hätt ich Federn
dir zu sagen fing ich Sterne
was du hören möchtest prachtlos

wenn du weißt ein Netz
schafft Knoten für die Maschen
ein Hochseil ist zum Gehen da
hast du Grund zu fallen

was auch sonst geschähe
seis Blätter brechen Zungen
nun fall nur und schweig
wie alles sein Gerede hat

gleißend weiß streckt Schnee
sich eben, weit, geduckt
flacher Wintersonne entgegen

kristallen streut Lichtgemisch
lange, helle Schatten, Gischt
von Hauch und Kälte

gebläute Baumschemen sind
ungehbar weit verhängt
verloren dem Horizont geschenkt
und es schnellt nichts
nichts geht oder weht
von Fluchtpunkt zu Fluchtpunkt

(was lebt, steht)

In scheinbar normaler Nacht
holen Szenen, nie gekannte
dich ein: gewandte Macht

durch flüsternde Hecken: Gewehre. Wachsen
zertreten den Schutz, die Liebe, den Leib
Spalier schwarzer Augen: Todesachsen

verketten alle fliehenden Schritte
fällst, verlierst jede Mitte
in einer beliebigen Nacht
bist du im Vorkrieg aufgewacht

außen zerbricht die Welt
abgebrannt schon ewig
innen zerreißt das gleiche

(es gibt zwei Welten
sagen Menschen mit Herz
und graben damit Gräben)

Trennungen diplomatisch schärfen Bomben
von Herzen und Kalkül geprägt
privat ewig immer schon

das Drama lebt schneidend
vom Verrat des Kusses / dem Versprechen
der Zusage am Mund
woran der Kopf hängt

nichts hat der Kopf
zu tun
als Mund und Herz und Stille
(abgeschlagen fortgedacht)

nichts ist im Kopf
der Körper als Mangel
nichts dort sein Herz
gebraucht und verraten

(allein werde ich tot
wie jeder Tote allein)

es hat zwar Schreie gegeben
und Rennen
doch, – ja, – doch
den Wald der Duldung

kein Herz, – kein Tasten, – keine Mulde

das findet sich wieder
im rissigen Grund
niedergetreten geht es weiter
in Kenntnis des Bedarfs

fallen die Namen

die weiße Wand ist weit
und rückt nun näher

abhanden war die Nähe
die dem Auge nichts beschrieb

das Gemeinte hat ein Muster
das nach Händen rief

(so ruft die Wand: ich weiß)

Ten Haaf

Aus "Taugenichts II"

Die Erzählung "Taugenichts II" knüpt an Eichendorffs berühmte Novelle "Aus dem Leben eines Taugenichts" an. Der Taugenichts ist aber inzwischen in die Jahre gekommen, ist Lehrer geworden, hat eine Scheidung hinter sich. Eines Tages fällt er einen kühnen Entschluß. Als der Bus auf der Rückkehr von einer Klassenfahrt hält, "steigt der Lehrer aus": Er nimmt seine Gitarre, läßt die erstaunten Schüler und damit sein bisheriges Leben hinter sich und begibt sich auf eine Wanderung, die ihn nach Frankfurt, nach Amerika und wieder nach Deutschland führt.

3

Vor ihm tauchte eine Kleinstadt auf.
Er tippelte munter drauflos und zog eine Lehmspur hinter sich her. Die Luft war so mild! Wie eine Geliebte streichelte sie sein Gesicht, seine Arme, seine Brust. Er ließ es sich gern gefallen. Diese Liebe genügte ihm im Moment völlig. Die Sonne, die breit auf den Feldern, der Autobahn, auf der Kleinstadt vor ihm lag, empfand er als ständige Aufforderung, glücklich zu sein.
Das war er auch.
So unbeschwert war er schon seit Jahren nicht mehr unterwegs gewesen. Er war überhaupt so gut wie nie zu Fuß auf einer Landstraße getippelt.
Zu Hause stand sein Auto.
Das würde jetzt die Bank holen, zur Abgeltung der eingegangenen Spar- oder Kreditverpflichtungen. Den Fernseher würden sie holen, seinen Perserteppich, den anderen hatte seine Frau schon geholt, die Möbel, die Bücher.
Selbst um die Bücher tat es ihm nicht leid, obwohl er sich vom Schreiner extra dafür einen Schrank hatte bauen lassen, einen großen Vitrinenschrank mit viel Glas, hinter dem man all die Bücherrücken der Gesamtausgaben – von Homer bis Böll – sehen konnte, die ganze Gilde der Denker und Dichterbarden, hübsch aufgereiht, abgestaubt und sogar gelesen.
Soll sie der Teufel holen, dachte er, was ist ein Buch gegen diesen Nachmittag? Meinetwegen kann sich der Bankdirektor damit eine schöne Zeit machen. Er wird schon sehen, was er davon hat! Genausoviel wie vom Fernsehgucken.

Wenn er sie durchgelesen hat, begegne ich ihm wahrscheinlich auch auf der Landstraße. Vielleicht ist er sogar musikalisch. Dann gründen wir eine Band.
Er berauschte sich einen Moment an der Vorstellung, wer ihm alles auf der Landstraße begegnen konnte, der Steuerberater, der einen genauso fettleibigen Mercedes fuhr wie der Frauenarzt seiner Geschiedenen, obwohl er selber smart und dünn war, allerdings stahlblaue Augen mit dem typischen IchsehediranduhastkeinGeldBlick hatte – der Chef des Hotels Grobel, wo er ab und an aß, ein dicker, hellhöriger Seismograph der Wirtschaftswelt, Kollege Buckel mit gefettetem Haarkranz und seinem mindestens vierzig Jahre alten Schul- und Feiertagsjakett und all die anderen Größen, die so genau wußten, wie das Leben lief.
Ach, dachte er, sie können genauso dableiben, wo der Pfeffer wächst – wie meine Bücher. Sie würden nur diesen vor Sonne und Faulheit trägen Nachmittag stören.
Bei dem Wort Nachmittag kam ihm der Gedanke an seine Uhr. Er schob die Ärmel zurück: Die Uhr zeigte 16.24 Uhr.
Wie genau diese Digitalanzeige ist, dachte er. Gleich springt sie auf 16 Uhr 25, dann auf 16 Uhr 26 und mit großer Wahrscheinlichkeit auch auf 16 Uhr 27. Wenn man will, kann man die Uhr sogar als Stoppuhr benutzen. Man kann auch mit ihr tauchen, damit man selbst unter Wasser weiß, daß es schon 16 Uhr 25 und nicht 16 Uhr 24 ist.
Wie lang hat mich dieses Ding am Arm eigentlich malträtiert? fragte er sich. –
Acht Jahre.
Acht Jahre habe ich jeden Morgen Angst gehabt, sie könne schneller springen, als ich frühstücken und mich anziehen konnte. Acht Jahre lang habe ich Angst gehabt, ich könne die Strecke bis zur Schule nicht pünktlich bewältigen. An den Ampeln bin ich nervös geworden, habe auf die Uhr gesehen und gedacht, jetzt hast du noch vier Minuten bis zur Schule, jetzt noch drei, und jetzt müßtest du eigentlich schon da sein.
Weg damit, sagte er, stellte die Gitarre an einen Apfelbaum, dessen Knospen so dick waren, als brächen sie jeden Moment auf, schob die Uhr vom Arm und hing sie an einen der

Zweige. Er fühlte sofort das befreiende Gefühl am Handgelenk und rieb es sich, als habe er in Fesseln gelegen. Die Uhr blinkte in den Zweigen. Moderne Kunst, dachte er, Uhr und Apfelbaum. Wenn das kein Symbol ist!

Die Zeitbombe im Apfelbaum. Der Baum, der mit der Zeit geht. Der Baum, der pünktlich seine Knospen öffnet. Der angepaßte Apfelbaum des zwanzigsten Jahrhunderts. Moderne Kunst ist Symbolik, dachte er. Die meisten Symbole laufen darauf hinaus, daß keiner in dieser Zeit leben will, so wie sie ist.

Auf jeden Fall bin ich die Uhr los. "Danke, Baum!" sagte er. "Mach Dir keine Gedanken um die Uhr, es wird schon einer kommen, der sie braucht. Wahrscheinlich der Obstbauer. Landwirtschaft ist ja auch nicht mehr das, was sie einmal war – oder?"

Es kam ihm vor, als ob ihm der Baum freundlich zulächelte, jedenfalls neigte er leicht seine Zweige. Wann habe ich zum letztenmal das Gefühl gehabt, daß mir ein Baum zulächelt? dachte er.

Warte, warte, warte – das war – das war, das war in den sechziger Jahren, als ich wie ein Taugenichts (Warum fiel ihm ständig dieser Eichendorff ein?) durch halb Europa getrampt bin.

Ja. Damals dachte ich, alles nickt mir zu, die Bäume, die Felder, Nachthimmel, der Sonnenaufgang. Habe ich nicht auf dem Idhagebirge gehockt, Henry Miller gelesen und gedacht, das ganze grüne Tal unter mir nickt, lächelt und winkt mir zu? Habe ich nicht gedacht, das da unten, das da oben – das spricht mit dir? Das sagt dir, du gehörst zu uns, wir sind der Teil der Welt, der Seele hat, der dieselbe Seele hat wie du?

Ja, so war es, und jetzt ist es wieder so. Fast so, schränkte er ein, die Jahre, die Arbeit, die Familie haben Spuren hinterlassen, Furchen auf der Stirn – obwohl's noch nicht sehr viele sind, Magenfalten habe ich auch noch nicht am Mund wie Kollege Positor oder Kollege Stöckel – eigentlich bin ich noch ein recht ansehnlicher Mensch – aber Spuren sind da, innen, oh ja. Wer arbeitet, nur um des Geldes willen, der verliert sein Ich. Klare Sache. Habe aber viel zu lange gebraucht, um es zu kapieren. Jetzt hab' ich es kapiert, und die Uhr hängt im Baum.

Er brachte ein innerliches Hurra heraus und zog weiter, ohne zu wissen, wie es weitergehen sollte. Unterwegs fiel ihm ein, daß es bis nach Amerika noch weit war und daß er bald Hunger haben würde oder sogar Durst.

Die Uhr hätte ich versetzen können, dachte er einen Moment, aber dann schalt er sich rückfällig, feige und vergaß sie völlig. Jetzt ist es nicht mehr 16 Uhr 24 oder 16 Uhr 27, sondern Nachmittag.Was interessiert mich die Zeit, jetzt, wo die Märzsonne so warm ist, als habe sie schon den Rest Ozonschicht weggebrannt, und überall die wilden, blauen Krokusse blühen, als würden sie nachts heimlich künstlich gedüngt.

Vielleicht gehört das auch schon zu den Aufgaben der Gemeindearbeiter, dachte er und belustigte sich – während er, umflattert von sssst sssst und Auspuffgasen, auf die Kleinstadt zuhielt – an der Vorstellung, wie die Männer in den orangen Warnanzügen nachts wie riesige Glühkühe durch die Wiesen krochen, kleine Tütchen in der Hand, und die verschreckten Krokusse bestreuten.

Ja, das wäre eine Aufgabe für mich, dachte er, aber nur, wenn man sich dann über Tag in eine dieser hessischen Obstplantagen legen und träumen darf. Dann kam ihm wieder der Gedanke, daß er ja irgendwo nächtigen müsse. Keine Uhr, kein Geld, kein Rasierapparat, kein "Puidchama" – he, wo sollte er hin? Gab es noch freie Scheunen?

Dann sehe ich morgen aus wie ein verirrtes Huhn, dachte er.

Der Gedanke an die Übernachtung lenkt mich mehr als billig, wie er gleich darauf dachte, von der warmen, sonnenbeschienenen Ebene ab, durch die ich schreite.

Die Ablenkung ist die größte Gefahr, dachte er. Viele Menschen haben gute Ideen, aber die meisten lassen sich davon durch Nebensächlichkeiten ablenken oder sogar davon abbringen. Sie trauen ihren Ideen nicht, sie trauen nur ihrem Bankkonto. Das sollte ihm auf keinen fall geschehen, und so blickte er stur geradeaus, pfiff irgendeinen Reggae vor sich

hin und tat so, als ob er seine Übernachtungssorge gar nicht kenne.
„Ich kenne Dich nicht, Du Übernachtungssorge“, sagte er laut. „Weiche von mir, Elende, Du Botin der anderen, der traurigen Welt! Hebe Dich hinweg, wandere denen zu, die Dich nicht missen mögen! Wie viele gibt es davon? Seht Euch um! Millionen! Was sage ich – Milliarden.“
Es gelang ihm dadurch, die Übernachtungssorge auf Distanz zu halten und die verführerischen Gedanken an ein frisch bezogenes Bett zu verscheuchen, die da und dort weiß und wohlriechend durchschimmerten – vom Kopfkissen bis zum Laken ein Hochgenuß – aber so ganz vertrieb er sie nicht.
Darauf lamentierte und deklamierte er laut, wie schwer es die Freiheit mit ihm habe, und gab sich selbst ein Interview.
Auf die Frage des Interviewers, warum er sein Heim verlassen habe und nun auf einer wildfremden Landstraße Nähe Frankfurt einherzöge, antwortete er:
„Mein Herr (der Interviewer war ein Herr), wenn Sie wie ich die Sorgen der Unfreiheit bis zur Neige gekostet hätten, bis in die flachsten Pfützen der Trivialität, dann würden Sie Ihren Stenoblock oder Ihr Tonbandgerät fallen lassen und mit mir ziehen.“Auf die Frage, ob er sich keine Gedanken um seine Frau und seine Kinder mache, antwortete er:
„Wer solche Sorgen hat, der stirbt. Jeder Mensch stirbt – früher oder später. Aber wer solche Sorgen hat, stirbt früh, ohne körperlich zu sterben – wenn Sie verstehen, was ich meine?
Meine Frau ist ein Computer, regelmäßiges Wiederholen immer gleicher Vorgänge einprogrammiert. Meine Kinder – es sind übrigens zwei – haben sich aus Unkenntnis um die Freiheit ihrer Mutter angepaßt. Sie denken wie sie, sie reden wie sie, sie kleiden sich und leben wie sie. Das soll ich noch dreißig oder vierzig Jahre aushalten ?
Dazu die Verwandten. Sie stammen aus derselben Ecke wie meine Frau. In ihre Köpfe ist nichts weiter eingehämmert als die Oberflächensymbole des Lebens: Sicherheit, Wohlstand, Gesundheit, Fortkommen – aber sie gehen nie fort. Sie sind immer da. Sie kommen regelmäßig, sie haben regelmäßige

Gewohnheiten, sie reden regelmäßig dasselbe. Einer ist dabei, da können Sie drauf gehen, daß er nach zwei Minuten einen schweinischen Witz erzählt, ein anderer trinkt nur angewärmtes Bier, grauenvoll – nicht? (Interviewer schüttelt sich ebenfalls.) Ein dritter versucht regelmäßig, alle Schwägerinnen zu küssen, und ein vierter kommt nur, weil der erste schweinische Witze erzählt. Dabei sind sie alle Realisten. Sie kennen das Leben, sie kennen die Zeit, sie kennen die Wege, sich Vorteile zu verschaffen. Hat das nichts mit Tod zu tun?"

Nach diesem Wortschwall kann der Interviewer zuerst nichts sagen, stellt er befriedigt fest. Aber dann fragt der Interviewer doch etwas, nämlich: „Vermissen Sie nicht Ihr Bett, wenn Sie einfach ohne alles unterwegs sind, Ihr frisches, weißes, warmes Bett?" – Der Interviewer stellt es sogar noch mit den Händen dar.

Zuerst möchte er antworten – schließlich ist er Deutschlehrer – das hat Ihnen der Teufel gesagt, aber dann brüllt er pathetisch: „Nein, niemals werd ich es vermissen, was ist ein Bett gegen die Freiheit der Straße?"

Der Interviewer sieht ihn mißtrauisch an. Da er solch mißtrauische Blicke gegen emphatische Äußerungen seinerseits noch nie leiden konnte, jetzt besonders wenig, läßt er seinen Gesprächspartner mit einem bösen Grinsen (Aussage: Ich habe hier die Gewalt, du bist mein Geschöpf) einfach aus seinem Kopfbildschirm verschwinden und widmet sich wieder der Annäherung an die Kleinstadt.

Vier Kilometer sind eine lange Strecke, dachte er, besonders, wenn man seit Jahren peinlichst darauf geachtet hat, Entfernungen über zweihundert Meter grundsätzlich mit dem Wagen zu nehmen. Der Gedanke an die Highways rückte ein wenig in die Ferne, und der Taunus lag plötzlich weiter von Ameria entfernt als vorhin, es war sogar ein kleines Wasser zwischen den Kontinenten. Der Gedanke an Wasser machte ihm Durst, wenngleich nicht auf Wasser. Nachmittags war Kaffeezeit. Ein Kognack durfte auch dazu gehören.

Wie gerufen, zierte den Ortseingang ein Café, in dem tatsächlich schon Stühle und Tische auf der Veranda stan-

den. Sogar einige Kunden saßen dort und schlürften in dem ewig gleichen Cafébrabbelton ihre illustren Getränke.
Zum Acker zurücklaufen, die siebzig Mark auflesen, das ging ja wohl nicht, wenngleich er es eine schwache Sekunde lang erwog, aber nur, solange der Kaffeeduft die Abgase übertrumpfte, und das war, wie man sich leicht denken kann, nicht allzu lange. Er überlegte. Ein Liedchen trällern und dann das Geld einsammeln? Ein feiner Gedanke, aber er mußte auch ausgeführt werden. War er schon so weit in seinem Freiheitsgefühl, den Schatten, der an diesem Gedanken haftete (die Angst, sich lächerlich zu machen), zu überspringen? Wenn nun ein Kollege dort saß oder ein Bekannter aus der Kleinstadt, in der er bis eben noch gelebt hatte?
Unsinn, Floskeln, feige Gedanken, sagte er sich, hüpfte die Treppe hoch, stellte einen Fuß auf einen der Stühle und begann:

Ein neues Land
Ein neues Leben
Der Frühling springt
Du stehst daneben

Und denkst:

Ein neues Land
Ein neues leben
Wer kann mir das
Wer kann mir das
Jetzt geben? –

„Geben“ sehr gedehnt. Das Lied hatte vier oder fünf Strophen, eine davon lautete:

Die Maid so jung
So voller Schwung
So cool ihr Geh'n
So morgenschön

Du denkst:

Die Maid so jung
So cool Ihr Geh'n
Ich würd so gern
Ich würd so gern
Ich würd so gerne mit ihr geh'n! –

Die letzte Strophe sang er mit voller Inbrunst, obwohl er die ersten auch nicht gerade geflüstert hatte:

Ein neues Land
Ein neues Leben
Wer kann Dir das
Wer kann's Dir geben?

Denk nach:

Ein neues Land
Ein neues Leben
Wer kann Dir das
Wer kann Dir das
Außer Dir denn geben? –

Das letzte „Geben“ wieder, diesmal fast belcantohaft, gedehnt! Oh, wie dehnte er das Geben!
Der Wirt hörte es, kam aus seiner gläsernen Küchenhülle (er konnte ja nicht wissen, daß er Lehrer war) und sagte, gerade als er nach dem Lied mit freundlichstem Lächeln die Hand aufhielt: „Mach, daß Du wegkommst. So verdreckte Typen wie Dich sehen wir hier nicht gerne!“
Als er den Wirt zweifelnd und die Gäste verzweifelt ansah, schubste dieser ihn unzweifelhaft mit seinem Cafébesitzerbauch die Veranda hinunter. Dabei fiel ihm übrigens eine blonde Frau auf, um die dreißig, vielleicht sogar noch jünger, die mit einer anderen Frau am Tisch saß und das Geschehen erschrocken beobachtete. Er glaubte, viel Mitgefühl unter ihrer hübschen, lieblichen Larve entdeckt zu haben. . .

Maria Grünwald

Immer weiter den Faden spinnen

Leben

Immer weiter
Den Faden
Spinnen
Immer neu
Faser
Mit Faser
Verbinden

Daß er
Nicht reiße
Bis du gerufen
Das Vlies
Aus der Hand
Zu legen

Noch ist
Deine Spule
Nicht gefüllt
Noch nicht
Alles Stroh
Versponnen
Zu Gold

Wegwarten

Ihr nie zum
Kranz Gewundenen

Flüchtige Gefährten
am Straßenrand
harren aus zwischen
Hitze und Gestank

Verstaubte Gesichter
grüßen blaustrahlend
wetteifern mit
Himmelsbläue
neben Rädern und
Asphalt

Schenkt uns eure Geduld
ihr ständig Wartenden
mit dem Sekundenglück
im Vorüberfahren

Ihr nie zum
Strauß Gebundenen

Sommersonne am Berg

Als sei den Tagen
die Härte genommen
als seien Kanten
und Ecken gerundet
als reisten wir
auf fliegendem Teppich
als sei alle Bürde
meertief verschluckt
als sei alles Leben
in Goldglanz getaucht
als sei versilbert
was gestern noch
rostig und schwarz

Hochsommer

Wucherst
mit deinen
Talenten
du Sommer
voll Reife
voll Süße
voll Einfallskraft

quillst
schäumst
läufst über
in Farbe
im Duft
schaffst
Symphonien
für Auge
Ohr und Herz

Umarmt von
den Menschen
gibst du
dich hin
wie ein
Liebender
in der Fülle
hoher Zeit

Herbstsegen

Der Herbst
steigt mir
aufs Dach
klopft an mit
Eichelfingern
begehrt Einlaß
am Fenster
tanzt auf
der Brüstung
hüpft in
die Pfütze
rollt über
den Hof

Wohin
mit dem
Reichtum
der prasselt
auf mein
Haus

Erinnerungen

Wie Staubkörner
sonnbeschienen
im Lichtkegel
eines Augenblicks

Wie Glühwürmchen
aufglimmend
im Sommerstrauch
den Weg erhellen

Wie Strandgut
angespült
von weither
zu Füßen gelegt

Wie Bernstein
leuchtend
darin eingeschlossen
vergangenes Glück

Widerhall

Immer noch kommt
dein Echo zurück
wenn ich deinen Namen
lautlos rufe

Diese oder jene
Erinnerung
seit Jahren aufbewahrt
in der Felswand Herz

Unzugänglich
für Unberufene
abrufbar allein mit der Liebe
die Tod überdauert

Mathias Knoll

Reise nach Verdun

1

„ ... wenn ich aus dieser Hölle hier herauskomme, dann schwöre ich Dir ewige Treue...“, schrieb mein Großvater, der nicht nur aus Österreich–Ungarn stammte, sondern auch noch des öfteren sein 'arisches Blut' befleckte, wie Großmutter resignierend ihrem Tagebuch anvertraute, „ ...aber trotzdem glaube ich, ihn zu lieben.“
Oder sollte sie sich von der Enttäuschung nie erholt haben?
Es existiert noch ein Bild meines Großvaters im hochgeschlossenen Waffenrock. Die rechte Hand selbstbewußt in die Hüfte gestemmt, während der martialische Kaiser-Wilhelm-Schnurrbart streng gezwiebelt sich anschickt, die Zweidimensionalität des Stockfleckenbildes zu durchstechen. Das Kinn bartlos. Der Haarschnitt militärisch knapp. Während die beiden Stirnknochen wie bei einem gehuften Luzifer hervortreten. Oder als ob der Kopf von Königsgedanken zu bersten drohe. Den militärischen Zweireiher in Draufgängerstimmung in die Brust geworfen, während sich die Augen noch nicht schlüssig zu sein scheinen, ob sie die hohe Schule der Ordnung anvisieren sollen mit ihren Preußentugenden wie Fleiß, Pflichterfüllung oder was sonst noch in diese Tonleiter paßt. Oder sollte er eher dem persönlichen Glück zuzwinkern? Eine Mischung aus schneidiger Borniertheit und Leichtsinn. In seiner Art der Unschlüssigkeit karikiert. Die Litzen des Uniformrockes hatten die Stockflecken so nachlässig angefressen, daß bei der Betrachtung des Bildes ständig Unklarheit darüber herrschte, welchen militärischen Rang Großvater wohl eingenommen haben könnte. Die entsprechende Einstufung erfolgte über die Jahre hinweg je nach politischer Wetterlage. Mal hieß es, er sei Hauptmann gewesen. Dann wieder kursierte die Version, daß er für den Generalstab vorgeschlagen worden sei. Denn immerhin habe er doch Abitur gehabt. Schließlich einigte man sich darauf, daß er auf jeden Fall Offizier gewesen sein mußte. „Aber er hat keinem etwas zu Leide getan“, vergaß Großmutter nie zu erwähnen. Während mein Vater sagte: „Natürlich nicht, Mutter.“

Auch an Großvater war der Lamettasegen nicht vorübergegangen.
EK I, EK II, Silberspange, Nahkampfabzeichen – Begriffstorsi einer Helotensprache, deren metallischer Klang die Stimmbänder unangenehm reizt. Derartige Andenken lagen in einer durch Intarsien reich verzierten Kiste, die aus Belgien stammen soll. Ein Offiziersdolch beschwerte das sackleinengefaßte Fotoalbum. Auf dem stand mit weißer Tusche geschrieben:
„ Bilder von der Front 1914 - 1918."
Hier unten in einer Vitrine, hinter selten benutztem Geschirr, kam der Inhalt eines Fotoalbums mit einem deutschen Geschichtskapitel in Berührung, das sich nachhaltig bis in die Gegenwart einschoß. Die einzelnen Bilder trugen ebenfalls mit weißer Tusche pedantisch gemalte Kommentare etwa folgender Qualität:
„Stolz der Familie!" — „Wo gehobelt wird, fallen Späne." — „Vor der Schlacht." — „Die Stube 7." — „Nach dem Angriff." — „ Morgentoilette."
Und dann einige Bilder, die den Großvater schablonenhaft aus seiner fotographischen Umgebung ausgeschnitten zeigen. Diese Momentaufnahmen trugen die etwas unbestimmte Bilderläuterung: „ Aus der Etappe."
Auf dieser Schnappschußserie ließ sein entspanntes Gesicht Alltagszüge erahnen. Ohne hochgestellten Kamm. Selbst die geöffnete Uniformjacke zeigte eine gewisse Lockerung des Drills. Und Großmutter sagte:
„ Ach, da ist er ja ganz typisch.Er konnte so hilfsbereit sein."
Da rutschte meinem Bruder der fatale Satz heraus:
„ Da ist er im Puff. Tante Frieda hat dieselben Bilder unbeschnitten. Die stehen da an wie nach Brot."
Seitdem sorgte nunmehr eine gewisse Zensur für Großvaters Ruhe in seiner Intarsienkiste hinter dem Eßgeschirr.
Dagegen wurde bei diversen Familienfeiern, wenn mal wieder die Bilder aus der 'schlimmen Zeit' fällig gewesen wären, der kurze, der letzte Frontbrief auf die Reise um den Kaffeetisch geschickt, um auch alle an unserem Familiendrama teilnehmen zu lassen.

„ ... wenn ich aus dieser Hölle herauskomme, dann schwöre ichDir ewige Treue...“ – Ein Brief als Beweis der Sterblichkeit.
„Als hätte er es geahnt, wurde dann vielsagend geraunt, während Großmutter versonnen nickte.
Was aber die Kaffeerunde nicht ahnte, war, daß als Anlage des ursprünglichen Briefes auch noch die abgeschnittenen Schnurrbarthaare, die ehemals straff nach Höherem gestrebt, mitgemitgeschickt worden waren. Unter 'P.S.' stand folgender Kommentar: „Lehne ab heute jede Ähnlichkeit mit lebenden Personen ab!“

Kurz, ich wollte nun endlich die Gegend kennenlernen, die meinem Großvater vor Jahrzehnten eine Art Kastrationsschwur abverlangte: „ ... schwöre dir ewige Treue...“ –
Er ist der 'Hölle' nicht entgangen. Er fiel. Wer fiel nicht zu dieser Zeit? Man fand sich damit ab. Man findet sich damit ab.
Die Verdrängung liebt die Perfektion. Mehrstellige Todeszahlen fördern die Gleichgültigkeit.
In meinem Gepäck führte ich Großvaters Tagebuch mit, das sich auf dieser Reise mit Ausnahme seiner gelblichen, nein fast schon rostigen Stockflecken in keiner Weise antiquiert zeigte.
„ ... ich will nicht endgültig meinen Verstand verlieren.Deshalb suche ich den Sinn im Irrsinn.“ – Stand auf der ersten Seite.
„ ... das Denken soll ja angeblich allen Menschen gemeinsam sein. Der einzige Unterschied liegt offenbar nur darin, inwieweit wir davon Gebrauch machen...“ –

Ich fuhr nach Verdun.

2

An der Ausfallstraße von Verdun tankten wir und bezahlten anschließend bei einem muffeligen Mädchen mit fettigen Haarsträhnen, die im Nacken durch ein poröses Gummiband zusammengehalten wurden. Sie schien die Tochter des Tankwartes zu sein, der gelangweilt hinter der stumpfen Scheibe des Büros hockte, während vor ihm ausgestreckt der Schäferhund lag.

Auf meine Frage nach den 'Campes de bataille', den Schlachtfeldern, deutete das Mädchen mit unbestimmter Handbewegung in die Luft, während sie den Blick nur flüchtig von der Zapfsäule löste. War ihr die Frage nur lästig, da sie vielleicht jeden Tag dieselbe Antwort zu geben hatte? Oder verbarg sie hinter dieser unbestimmten Andeutung nur ihre Unkenntnis wie jemand, der, nach dem Weg befragt, wirsch die Antwort verweigert?

Natürlich war meine Frage eher rhetorischer Natur, gepaart mit Neugierde, um vielleicht noch ein Aufflackern von Rache, Agression oder überhaupt eine Gefühlsregung ihren Augen zu entlocken. Vielleicht als Hinweis dafür, daß sie zumindest etwas von den Nachwehen der blutigen Geschichte der Menschheit verspürte. Denn immerhin war sie hier eine Nachbarin ehemaliger ideologischer Kraftfelder, von Toten besät. Doch ihre Reaktion war gleich Null. Außer der pomadigen Aufsässigkeit, die man überall dort antrifft, wo fader Gleichmut mit philosophischer Attitüde verwechselt wird.

Ja, bei genauer Erinnerung war es doch wohl eher eine wegwerfende Handbewegung gewesen. Als wollte sie sagen: 'Dahinten sind deine verdammten Felder.'

Nachdem wir Verdun endlich hinter uns gelassen hatten, zog uns eine kahlkronige Alleestraße in die Weite der Landschaft. Ein einsamer Bauer zog auf seinem Traktor große, haarnadelartige Furchen, die die Regenwolken des Horizontes auszukämmen schienen. Als gehöre der Mensch in dieser Weite phylogenetisch dem Kriechtier an, pflügte er, ohne sich um

die Vergangenheit seiner Saat zu kümmern. So, als lebte er in einer gegenwärtigen Ewigkeit, die Geschichte ausschloß. Ein Ausdruck von Trotz lag über diesem Acker, der auch vom Tod gesiebt worden war. Bombenvernarbt wird er auf die Korrektur seines ehemals fruchtbaren Fleisches gewartet haben. Doch wie viele Operationssitzungen waren nötig gewesen, diesem Acker seinen erdgebundenen Stolz wiederzugeben?
Anfangs hatten Jahr für Jahr vor allem nach der Pflügezeit versierte Feuerwerker kommen müssen, um Spätzünder und Blindgänger zu entschärfen.

Langsam bewegte sich das Land vorbei an dem reisenden Auge, das schnell ermüdet, da zur Rechten kaum Buschwerk oder Hecken die Weite gliedern. Doch auf der linken Straßenseite begleitete uns schon bald immer dichteres Buschwerk, das in einen Wald auswuchs. Das Schild 'Campes de Bataille' ließ uns in einer scharfen Linkskurve in den Wald abbiegen.
Nur wenige Meter von der Hauptstraße entfernt, zwischen Geröll, Krüppelholz und locker gewachsenem Mischwald war ein Rastplatz mit großem Hinweisschild angelegt: ' Tavannes'.
In der Sprache des Reiseführers werden buchhalterisch, mehrsprachig Daten aufgeführt, die die strategische Bedeutung von Tavannes deutlich machen sollen.
Hier konnte der französische Soldat in einem unterirdischen Tunnelsystem kurzfristig Erholung vom Kampfgeschehen finden. Wenn nötig, auch den Verbandsplatz.
Doch diese ehemalige Zufluchtsstätte ist verschüttet, nur noch wenige Meter unter der Erde begehbar, während der Stolleneingang allmählich zugewachsen ist. Eher ein zugiges Wartehäuschen für den Überlandbus, der sich in dieses Wäldchen verirrt haben müßte. Mit dem feuchtscharfen Geruch eines Pissoirs, während der kalkschwere Boden von alten, kotbeschmierten Journalresten und Papiertaschentüchern übersät war.
Das Hinweisschild gibt Auskunft: In einer Septembernacht des Jahres 1916 detonierte durch ein Versehen ein Handgra-

natenstapel. Eine unvorstellbare Explosionswelle muß durch den Tunnel geschossen sein und zahlreiche französische Soldaten zerissen haben.
Man legt sich auf Schlachtfeldern in Bezug auf Zahlenangaben nicht so gern fest. Zumal besagte Explosion nicht unmittelbare Folge der Feindeinwirkung gewesen war, sondern sozusagen ein 'Eigentor' mit verheerenden Folgen.
Doch die sachliche Sprache des Hinweisschildes – als sei hier eine Tiergattung im Zoo möglichst verständlich zu beschreiben – vermag dem Besucher nicht das Drama nahezubringen, das sich hier abgespielt haben muß. Auch die Natur ist nicht in der Lage, dieses Grauen eindrucksvoll zu versinnbildlichen. Denn ein Stolleneingang ist allmählich zugewachsen, während der Betonmantel des Bunkers sich einen weichen Pelz aus Moos zugelegt hat. Man glaubte bei dieser Ortsbesichtigung – wenn man den Pissoirgestank großzügig überging – eher hierhergekommen zu sein, um Dornröschen zu befreien, als etwas über die vielschichtigen Tiefen des Menschen erfahren zu können. Des Menschen, der sich immer wieder sein Golgatha schafft.
Eine gefräßige Natur hat das sonnenlose Totenreich, diesen ehemaligen Bombenhades, überwuchert, zugedeckt. Und da das Wort 'zudecken' oft in einem Atemzug mit 'gnädig' fällt, melde ich hier meine Zweifel an. Denn könnte nicht viel eher eine Absicht darin liegen, die verwundete Natur so verheilen zu lassen, damit man schließlich bei dieser Art von Lokaltermin zu dem fatalen Trugschluß kommen soll, daß doch alles vielleicht gar nicht so schlimm gewesen sein kann? Denn das geistige Auge plaziert in diesen Märchenwald – der zur Zeit des Krieges einem völligen Kahlschlag geglichen haben soll – eher den Herrn der Ringe mit seiner Koboldriege als todgeweihte Soldaten. Ich will dem Leser nicht mit dem nervtötenden Refrain auf das böse Militär kommen. Zumal Chauvinismus und Kriegsbereitschaft leider dort am besten gedeihen, wo auch eine starke Brise Antimilitarismus weht und Pazifisten von Utopia träumen. Aber ein derartiges Terrain darf nicht zu einem Disneyland verkommen oder zur Gartenzwergidylle. Natürlich wird der Besucher froh sein, wenn

der ursprüngliche Schrecken auf Gartenlaubengröße – also überschaubar – gut verpackt worden ist. Wie sich auch das Kind beim Besuch des Märchenwaldes angenehm wundert, daß selbst die böse Fee viel lieber und freundlicher aussieht, als es das Märchen glauben lassen will.
Die meisten Besucher derartiger Stätten verlangen nach einer lau gewürzten Hausmannskost, die ihnen das Museum und einige Denkmäler vorsetzen, um nach dem Rülpser: „Ach wie schrecklich..." den Kriegsschauplatz mit der Kaffeefront zu vertauschen.
Ja, der Reisende vergißt schnell, wird herzlos, weil er sich den 'alten Geschichten' nicht mehr verpflichtet fühlt.
Auf der anderen Seite liebt der Mensch das wohlige Kribbeln seiner Gänsehaut, als ob ihn der anmutig verwachsene Schrecken der Natur geradezu verpuppen würde.
Doch während der Märchenwald den Vorstellungen vom Kahlschlag keinen Platz einräumen möchte, befrage ich Großvater:
„ ... ich versuche jeden Tag, ein paar Zeilen zu schreiben. Das scheint mir in dieser Vorhölle sinnvoller zu sein, als sich zu einem Frühstücksgang der Weltgeschichte verbraten zu lassen. Zwar hat uns der Oberst verboten, das Wort 'Frieden' allzu leichtfertig in den Mund zu nehmen – es gäbe für den Deutschen nur den 'Sieg' –, aber ich für meinen Teil nehme nicht in Anspruch, daß ich von Natur aus zum Helden tauge. Ich versuche nicht wie die homerischen Epen die Schlacht mit den Göttern. Von mir aus braucht die Erde nicht mit dem Himmel in Konkurrenz zu treten ... Angeblich werden wir Verdun bald stürmen. Man wird sehen ..." –

3

Nun also stand ich, der Enkel, auf der Glacis von Fort Douaumont, dessen zernarbter Betonpanzer den Granatgeschossen widerstanden hatte. Ich hatte die mächtigen Betonwälle wie eine Gemse bestiegen. Ohne Widerstand die Festung genommen. Kinder sprangen auf dem Peloton, versteckten sich hinter stummen Geschütztürmen, schrien in den Schacht ein lautes „uahhh“, das ihnen dumpf antwortete. Ein Kopftuch rief mahnend den Namen der Kinder, die wie junge Jagdhunde herangesprungen kamen und ihre Mutter mit Lebendigkeit umgaben. In unserer Nähe stand unter einem aufgespannten Regenschirm ein alter, verknitterter Mann, leicht gebückt, und wies, seine ergraute Frau am Arm, in einer weitausholenden Geste auf etwas hin, das nur zu erahnen war. So, als wollte er sagen: ‘Das lag uns alles zu Füßen.'
Er sah nach einem der alten Veteranen aus, die sich hier bei Fackelzug und Schweigeminute der alten Zeit erinnern. Die Baskenmütze ließ mich erst an einen Franzosen denken. Doch er sprach mit seiner Frau akzentfreies Deutsch mit badischem Einschlag. Durch seine Kopfbedeckung wird er seinen privaten Frieden mit Frankreich geschlossen haben. Er hätte Großvater sein können. Und doch hing er alten, taktischen Erwägungen nach, als fühle er sich noch nachträglich um den Sieg betrogen, für den er doch mit Leib und Seele gekämpft hatte. Vermutlich kannte seine Frau schon seit Jahrzehnten die taktischen 'Wenn' und 'Aber', die den Sieg gekostet hatten. Sicherlich suchte er in einem gewissen Turnus diese Stätten auf, um das zu suchen, was für ihn bis heute noch eine unverständliche Zäsur seines Lebens ist.
Die Frau unterdrückte nur mühsam ihr Gähnen, nickte und zog ihn unmerklich weiter, indem sie seine Aufmerksamkeit auf die erneut herumspringenden Kinder lenkte. Ausgelassen hingen diese hinter dem Aussichtsfernrohr, das auf einem Stativ fixiert war, und imitierten mit einem Schwall scharfer 'rrrrrr' das Maschinengeratter der MGs.
Wie oft wird der alte Mann ihr, seiner Frau, diese seine Geschichte erzählt haben?

Nur noch vereinzelte Veteranen können mit ihrem 'Weißt - du - noch!' alten Stallgeruch heraufbeschwören. Die Fronten haben sich geändert. Die Veteranen sind bedeutend jünger geworden. Das Soldatenspiel hat nichts von seiner Faszination verloren.

Die Kinder hingen noch immer hinter dem Fernrohr und ließen in krächzendem, gutturalem Tonfall das Maschinengeweh bellen, um das tieferliegende Gelände unter Flächenbeschuß zu nehmen.
Eine vielleicht kilometerlange Schneise, deren dürftige Ansätze von Mischwald fast auf lächerliche Weise den Kahlschlag zu verbergen suchen, begleitet den Schießplatz der jetzigen französischen Streitkräfte. Von einem hohen Metallzaun eingefriedet, dessen Betonpfeiler in strammer militärischer Haltung für Abstand sorgen: 'Dange!'

Ein Soldat schob gelangweilt Wache.

Hanne Schleich

Scheveninger Impressionen

Gold an der Spitzenhaube . . .

Der Duft der großen, weiten Welt
und tausend Flaggen am Pier.
Ans dunkelblauseidene Himmelszelt –
        dem Wind
        und den Seeschwalben zugesellt –
malt in flüchtenden Lettern ein Aeroplan:

SIGARETTE DE AMERIKAAN –
        und darunter:
DRINK HEINEKEN BIER . . .

Porzellansouvenirs aus Makkum und Delft –
und Sand in Schuhen und Haaren.
Die Sonne brennt supranational –
        auf Kopjes Koffie,
        Maatjes und Aal –
auf Sünder und Gerechte:
die Dixiband vorm Strandcafé
und beherzte Soldaten der Heilsarmee,
um die sich –
        zu frommer Gitarren Klang
        und unerschrockenem Lobgesang –
vergnügte Banausen scharen.

Eine Drehorgel namens ARABIER
dudelt atemberaubend schön:

BLUE LADY
        und TULPEN AUS AMSTERDAM –

und zum Spaß dreht der blinde Orgelmann:

WER WEISS, WANN WIR UNS WIEDERSEHN . . .
und die dear old WEISSE TAUBE.

Gemächlich –
voll heimlicher Koketterie,
zwischen High- und and'rer Society –
wandeln Fischerfrauen am Boulevard:
Gold an der Spitzenhaube.

Die Abendtide bringt die Flut.
Die Wellen trekken zu Lande
und rauschen dem Pier einen Nachtsalut;
und mit der ertrinkenden Sonnenglut
schwinden auch die Runen im Sande.

Eine Möve schaukelt im südlichen Wind,
und von dort,
wo die Schatten der Dünen sind,
zieht ein später Reiter zum Strande. –

1956

Vergängliches Glück
(Impression 1924)

Vom Veloziped
springt der junge Gent
und federt den Steg entlang.

Die Nummer des Strandkorbs war die Zehn.

Er muß sie unbedingt wiedersehn –
die Kinderfrau,
die er seit gestern kennt
und die Klein Jan herrisch „ Aayah“ nennt. –

Ihre Augen sind schwarz
und wie Samt ihre Haut –
ihre Lippen duften wie Tang.

Den Dreien wurde die Zeit nicht lang . . .

Doch ach –
was sie zwischen den Tiden erbaut:
ein Luftschloß
und Muschelburgen im Schlick –
war vergängliches Glück.

1958

Snobs

Die hiesigen Hunde:
gemein oder fein –
Bastard, Chow-Chow oder Däne –
sind verträglicher Art,
doch ziemlich blasiert
und ausgesprochen „sans gêne".

Es herrscht babylonische Sprachkonfusion.
Doch wie immer der Gast sich artikuliert:
Japanisch, auf Kölsch oder kleinkariert,
südländisch soft,
oder nordisch herb –
„ . . . nix versteh" auf Gedeih und Verderb:

Der Nachtportier an der Rezeption
meistert es souverän.

Daß er sich mokiert –
zeigt er nicht,
derweil mit gelangweiltem Pokergesicht
er wohltemperiert mit Hautevolee
oder Krethi und Plethi parlieret
und den Bonus für die Explikation
mit wehmüt'gem Lächeln quittiert. –

Eingeweihte wissen es eh':

Kellner, Hund und Nachtportier
sind die heimlichen Regenten 'aan Zee' –
die Snobs der Promenade.

1961

Touché
(Terassencafé , Kurhaus , 1928)

Don Pedros Kutsche –
　　　　wappengeschmückt –
verharrt an der Balustrade.

Derweil Don Pedro dem Schlag entsteigt
und ritterlich vor Miss Dolly sich neigt,
hält der Groom die tänzelnden Falben im Zaum
und lauscht dem losen Scherzen, –
　　　　darob Dollys Lachen –
　　　　perlend wie Schaum –
weht über die Promenade.

Aus dem Türschatten löst sich der dunkle Magyar
und spielt sich in Dollys Näh'.
Seine Fiedel weint,
　　　　doch es flammt sein Blick –
das Mädchen sinkt in die Kissen zurück,
erschauernd in süßem Weh.

Dies kecke Lied'l . . .

　　　　Miss Dolly vermag
den brennenden Blick nicht zu heben.
Die Worte –
　　　　spottend dem noblen Mann –
fallen die Schöne begehrlich an:
„ . . . heut' nacht wirst du alles mir geben . . .“

Des Mädchens Galan küßt zärtlich die Hand
mit dem dunkelgold'nen Beryll;
der Stein wie Don Pedro sind kostbar und alt,
doch Dollys Finger,
schmal und kalt,
erwidern den werbenden Druck nicht mehr,
und ihr Lächeln ist seltsam leer.

Don Pedro schaut sie demütig an . . .
dann wendet er sich
          und entläßt
behutsam die zitternde Hand;
ach –
          Dollys Mund ist so rot und schön,
doch er will die bebenden Lippen nicht sehn –
nicht die Leidenschaft,
die den anderen meint . –

Touché – wie schade,
mais ça – c'est la vie . . .
Don Pedro lächelt still.
Ihm blieb –
          als am Abend sie heimlich verschwand –
nur ihr Duft
          und das lila Seidenband
vom leeren Pretiosenetui.
Später – im Droschkenpolster –
          fand
er noch Dollys Buddha aus Jade.

1968

Achim Anderer

Vor fünfzig Jahren

Der Angestellte

Er hat die Leiter an der Ecke angestellt. Seine Aktentasche hat er bei sich. An jedem Ersten bekommt er sein Gehalt. Bar ausgezahlt an der Stadtkasse.

Jetzt steigt er die Sprossen der Leiter langsam hinauf, nachdem er sich überzeugt hat, daß die Leiter fest steht.
Er nimmt aus seiner Tasche einen Schraubenzieher und schraubt ein Blech ab von der Wand, hinter der kein Haus mehr ist. Er nimmt ein anderes Blech aus seiner Tasche, befestigt es an der Stelle des alten.
Er steigt von der Leiter, geht zur nächsten Straßenecke, steigt auf die Leiter, entfernt das alte Blech, schraubt das neue an und geht zur nächsten Ecke. Dasselbe Spiel. Die ganze Straße. Wie ein Hund, der in Geschäften ist.
Auf jedem Blech steht der Name eines Mannes, der tot ist, dahinter: „ ...straße".
Er liest den alten Namen und denkt: „Der ist heute ein Verbrecher, weil man ihn neulich noch für einen Helden hielt."–
Er liest den neuen Namen auf dem Schild und denkt: „Der ist heute ein Held, weil er früher für einen Verbrecher gehalten wurde."–
Er stellt seine Leiter an der letzten Ecke der Straße an, denkt: „Die Straße ist keine richtige Straße mehr. Wenn es nur mehr zu essen gäbe! Ist mir eigentlich gleich, wie die Straßen heißen."

Er ist städtischer Angestellter. Er hat keine eigene Meinung. Er hat Hunger.

Auf dem Meldeamt

Er ist sehr beschäftigt. Er beachtet kaum, wie sich vor der Schranke, die ihn von den Leuten trennt, die Menge staut. Lange Schlangen ist er längst gewohnt.
Er läßt warten. Er ist Ziel. Er ist der Engpaß der Existenz. An ihm kommt keiner vorbei. Denn ohne seinen Stempel erhält niemand Lebensmittelkarten.
Ab und an fertigt er einen ab. Zwischendurch spitzt er seinen Bleistift. Er hat Geduld. Für alle. Flüchtig sieht er auf zu der Reihe Wartender vor ihm. Er denkt: „Vordermann! Achtzig Zentimeter Abstand! Hände an die Hosennaht!“ – Im Geiste steht er wieder auf dem Kasernenhof . . .
Für zwölf Jahre hatte er sich verpflichtet. Damals. Und zwölf Jahre hatte das Ganze nur gedauert. Jetzt ist er beim Meldeamt. Ordnung muß sein.

Er nimmt den nächsten dran. Ein älterer Mann, in gefärbter, vertragener Uniform, grobe Stiefel, Haarfarbe grau.
„Entlassen ?“ fragt er mit kameradschaftlich–herablassendem Unterton.
„Entlassen . . .“
„Name?“
Der Mann nennt Namen, Tag und Jahr der Geburt.
„Beruf?“
Der andere zögert. Dann sagt er schüchtern: „Abiturient.“
Der Mann hinter der Schranke sieht erstaunt zu ihm auf. Hat er richtig gehört?
Der andere sagt noch etwas. Sagt es so leise, daß die Wartenden es nicht verstehen.
Der hinter der Schranke erlegt alle Formalitäten. Betont schnell und unterwürfig. Dann steht er auf, geleitet den Mann mit der gefärbten, vertragenen Uniform und den groben Stiefeln und dem grauen Haar zur Tür. Sagt noch: „Bestellen Sie auf der Lebensmittelkartenstelle, i c h hätte Sie geschickt. Dann brauchen Sie nicht zu warten!“
Und, Haltung annehmend, fügt er hinzu: „Auf Wiedersehen, Herr General.“

Der Verurteilte

Er steht zum ersten Mal vor Gericht. In seinem Gesicht ist nichts von Erschütterung oder Reue zu lesen, nicht einmal Mitleid mit sich selbst.
Der Richter ist sichtlich bewegt, als er das Todesurteil verliest. Er aber denkt: „Wozu so feierlich?" Und: „Wenn ich eine Zigarette hätte!" –

Er hat einen totgeschlagen. Einen Schieber, einen, der alles hatte. Er besaß nichts, nur die zerlumpte Uniform und den Entlassungsschein. Keine Wohnung. Keine Eltern mehr. Keinen Gott.
Er ist noch jung. Das Haar blond, ungepflegt. Sie hatten es ihm in dem anderen Land abgeschnitten. Wegen des Ungeziefers.
Der andere hatte einfach alles. Einen gutgebügelten Anzug, eine dicke Brieftasche, amerikanische Zigaretten.
Er hatte nur einen Knüppel. Damit schlug er den anderen tot. Nur schade, daß dabei Blut über den Anzug geflossen war. Die Jacke war hin, nur die Hose konnte er noch gebrauchen.
Er war lange in Gefangenschaft. Er hatte wohl zuviel von der Heimat erwartet. Vorher Soldat, seit 1943. Damals war er siebzehn. Damals hatte er noch Eltern und Wohnung. Damals wußte er, wohin er gehörte. Damals ...
Als Soldat hattte er gelernt, wie man Menschen umbringt, es war gar nicht so schwer. Sogar einen Orden hatte er dafür bekommen, mit Handschlag des Kompaniechefs. Von seinen Kameraden wurde er ausgelacht, weil er kein Huhn töten konnte. –

Der Richter denkt: „Die Kriminalität nimmt erschreckend zu!" während er die Urteilsbegründung verliest.
Er aber denkt: „Was ist schon ein Menschenleben!" Und: „Ich habe lange nicht mehr gelacht ..." Und: „Die Zigaretten, die der Schieber bei sich hatte, waren gut. Wenn sie mich bloß nicht erwischt hätten!" –

Der Richter war früher Hauptmann. Der Verurteilte Gefreiter.

Farbänderungen

Ganz früher waren sie preußisch–blau, so blau wie der Augusthimmel in Italien. Unter dem Anstreicher von Braunau wurde sie reichseinheitlich rot überpinselt. Jetzt haben sie über Nacht einen Anstrich von sanftem Gelb erhalten, was in Bayern nur die Rückkehr zu bewährter Tradition bedeutet, der man – ganz vorübergehend – untreu geworden war.

Die Rede ist von den Briefkästen in Deutschland.

Walter Wehner

In den Wind geschrieben

1

Voll Wind ist die Stunde und das Flußeis fast schwarz du wirst einbrechen du wirst versinken Wind du wirst schweigen du hast genug gepustet sei nun still es war es wird sein alle Tage und keiner wie eh und je Wind müder Blasebalg spar dir deinen Atem die Schnecke versiegelt ihr Haus hörst du nein kein Laut mehr kein Meeresrauschen kein Muschelhorn tutet kein Neptungesang Wind deine Zeit ist abgelaufen deine Sohlen durchgewetzt die Lungen löchrig leg dich in den Ankerkasten die großen Segel sind gestrichen die Wimpel festgenagelt an den Mast eine Hand wirft dir den Glücksstein nach eine Hand streut dir Erde aufs Haupt Wind du Landstreicher alter Seefahrer geh schlafen die Geschichte findet kein Ende die Geschichte hat noch gar nicht begonnen

2

Über der kalten Erde das Gras über die Wiese die Winterlinde über dem Baumwipfel der Hügel darüber die Berge voller Nadelwälder über dem Fichtenforst das Geröll die Gletscher und Schneegipfel über den Graten und Kämmen der Wind darüber alle Wolken der Welt über Kumulus und Zirrus der Himmel über dem Blauen das Nichts über der eisigen Leere Monde Gasfackeln und Schlackehaufen und weiter die Bilder der Sterne über der Milchstraße die fernen Galaxien Andromeda Magellan und die Spiralnebel darüber kein Name über dem Tag die Nacht über dem Leben der Tod über dem Schweigen das Wort

3

Die Sprachköder die Tellereisen Fallgruben und Stricke meine Worte habe ich ausgelegt gestreut die Lockspur ins Winterherz ins Lautfenster den Futterring gehängt Frostfinger malten mir Reifblumen Wind spielte die Eisharfe blaublaue Bilder aber kein Gast kommt des Morgens keine Fährte zu finden nur eine Krähenfeder glänzt schwarz im Nachtschnee ich fand sie tagsdrauf im Frühlicht ich hob sie mir auf ich trug sie davon ich notierte ihren Namen die Sprache mit der Schleppe Tausendjahr alte Krähe schrieb ich Schattenträger Nachtvogel Dunkelgelichter wohin des Fluges fragte ich und wann kehrst du zurück und mit welcher Botschaft ich gab mir die Antwort: allerwegen jedenorts immerzeit redestumm

4

Sommer und Herbst und der Mond schwindet und wächst Nächte voll Licht Obstkörbe mit Kürbis und Birnen Schwarzwurzeln Bohnen das Heu duftet im Schober der Wolkenwind Herbst und Winter und die Welt schrumpft zusammen ein Punkt auf dem Küchentisch die Kerze flackert in der Stube bullert der Ofen Holzgeruch Kiefernharz die Scheite knacken in der Glut Zeit dehnt sich aus die Tage gefüllt mit Schatten und Dunklem auf dem Boden liegen verstreut Mandelschalen und Nüsse süß schmecken die Kerne Winter und Frühjahr und die Zeit schäumt in den Krügen ein bitterer Trank der Abendrauch die Morgennebel steigen und fallen und Lenzwind und Sommer und wiederum Herbst und der trostlose Mond rollt über den leeren Himmel

5

Federleicht bleischwer so huschts durchs Gebüsch so erstarrt es zu Stein zu guter Stund Zachiel sing Leide Leide Leide sing etwas Besseres als den Tod finde das lösende Wort das bannende sprich Mutabor pflück das Zauberkraut Niesmitlust Eulenauge Gänsemund Nachtigallenstimme und du Fitschers Vogel zicküth zicküth Jorinde ach Joringel schläfst du oder wachst du turmtief schachthoch das rapunzelt und babelt das drischt Gold und spinnt Stroh das sucht den einen den wahren den Namen älter als Fels und Meer als alle Dinge der Welt gesprochen wurde am Anbeginn der gerufen wird am letzten Abend unter dem Machandel-Boom kywitt kywitt ach Jungfer grün und klein ach arme Jungfer zart so schweigt es im Nesselhemd so spricht es im Schlaf noch einmal noch keinmal und bläst auf dem scheeweißen Knöchlein so schneckenschnell so flügellahm Schön Hühnchen Schön Hähnchen ruft Mandje Mandje Timpe Te daß sie nun leben müssen Tag und Nacht gnadenlos bis an ihr Ende

6

Murrkater Bullkater alter Wetterprophet wäschst den Regen vom Himmel kratzest mit der Pfote den Sturm übers Land die sieben fetten die sieben mageren Monde schnurrst du herbei deine Katzenritter die Frühlingsbringer putzen des Nachts von den Feldern den Schnee Phosphorsteren leuchten in deinem Gesicht alter Hellseher schwarze Träume bringst du und Unglück ins Haus dein Klagegeschrei lockt den Tod auf die Schwelle du streichst ihm vertraulich ums Bein Hinzelmann Wahrsager die Trauergäste buckelst du zu Tisch leckst das Gesinde zur Stube hinaus aschegrau kohlenfarben streckst du dich auf der Ofenbank Königsmacher Glücksbote dreifarbiger Ehestifter Kuppler den Pelz voller Flausen den Blitz verscheuchst du besänftigst das Feuer durch den Rauch gestiefelt gespornt springst du mitten ins Leben

7

Ich und du die schwarze Köchin der eiserne Hans die Brunnenmutter der Kohlenkistenkerl das Galgenmännchen der Herr Haupt-los die Dame-ohne-Schatten Golem Gothel Alraune Sphinx der wilde Jäger die weiße Frau der Zauberer Cagliostro die Hexe Kaukaukau dreh dich nicht um der Kopf bliebe dir stehn rückwärtsgewandt der Blutschink der Buckelalp die Windsbraut der Mann im Mond die Frau Holle Bollimenkel Butzenbercht Hackelmatz Wäschepenz die vertauschte Liebste der falsche Prinz die Nebelkinder der Wechselbalg die Kornmuhme der Schnatermann die schöne Lau der stumme Gast die Spinnlenor der Gräberknecht streck deinen Arm nicht aus die Hand wüchse verdorrte der goldene Finger glänzte lebenslang der Schneider Daumen-ab der Pelznickel der steinerne Ritter die blinde Bettlerin der Nachtschrat die Mittagsfrau Bilwis Undine Rilpe Lilith der Gardinenmann der Mummelmahr der Huckauf der Habergeiß der Feuerreiter der Nißpuck der Magier Prosper Albanus die Fee Rosabelverde der Geiger Ungetrau der Rabe Nimmermehr Fallada der du hangest du und ich

8

Die Mondviole das Silberblatt der Judastaler blüht du bist ein Schatten am Tage und in der Nacht ein Licht Musikfetzen wehen durch den Garten Klaviertöne aus offenem Fenster kalt ist der Abendhauch das Kräutlein Rühr-mich-nicht -an die gelben Lampignons wackeln im Wind Akkorde mit leichter Hand du lebst in meiner Klage der Mondvogel flattert um die Linde ein Flügelpaar zwei drei ein Dutzend die ersten Spuren von Raupenfraß Geruch von Nektar Glanz von Honigseim wo ich auch nach dir frage ein paar Takte von Gustav Mahler verzittern in der kühlen Luft der Mond wirft ein Groschenstück auf die Wiese die Scheidemünze aus Katzengold hält den Heckpfennig in der Tasche mit Näglein besteckt vom Dornengarten zum Myrrhenberg das Leben ist der halbe Tod

9

Mondsichel der Abendhimmel stützt sich auf die Kastanienspit-zen Sterne glühlichtern auf Krücken stelzt die Nacht über die Straße der Wind bauscht ihren Mantel an den Kanten glänzt der Saum abgeschabt grauweiß du gibst die Schuhschachtel unterm Fensterbrett die Schatztruhe Kronkorken die Messerklinge die Blechmaus im Katzenfell sprühen die Funken Gichtknoten die leere Kornflasche 1001 ein Märchenspiel die Kartenränder abgegriffen die Kreuzdame zerknickt fingerfleckig du nimmst am Tisch wandert das Gaslicht im Kreis der Kalender wendet die Tage Blatt um Blatt du mischt dir die guten die schechten der letzte Trumpf er sticht dir ins Auge er dornt sich ins Herz

10

Ninnillo und Nennella und der Wind der Wind der himmlische Balg wies knuspert und kneischt wies karfunkelt auf dem Holz-weg die Katzensonne die Mondsteine und kein Batzen aber der Trost ach welcher Trost wies lodert und flackert 's brennt Brüderle 's brennt auf der Gassen der Wind der süßliche der irdische Wind keiner Puppe ach keiner Puppe Hals ab Kropf auf geschliffen ist das Messerlein so elendiglich so grauselig so mutterseelenallein das rumpelt und pumpelt mit eisernen Pantoffeln im Nagelfaß im Lampenschirm aus Menschenhaut so traulich so pfefferkuchig auf dem Aschenpfad der Blutspur kein Steg und keine Brücke führen heraus ach Brüderle wie weh ist mir nach dir es ist so finster und ach so bitterkalt

11

Lirum larum weder Fisch noch Fleisch das schlurft die Straße hinunter es knuspert es raschelt im Stroh Mühlenflügel Wasserrad Regen Regen rusch schleicht die Treppe hinauf zwergengroß tropfnaß kein Schuster kein Leisten es schlendert es geht ohne Schuh weder Hand noch Fuß marschiert über die Dielen Mehlstaub kreiselt des Müllerslust des Müllersleid riesenklein weder kalt noch warm die Radspeichen eilen zum Himmel zur Hölle nine nine sause das wetzt seine Sense läuft zur Kammer hinaus über Stock und Stein es schüttelt sich es rüttelt sich Haberstroh Sommerspelz rennt mit dem Stoppelwind fegt die Tenne blank ausgedroschen leergedengelt es fliegen es wirbeln die Federn Entendaune Schwanenschwinge das hetzt die Stiegenleiter hinab mühlenschwarz wasserhell drum dreh dich drum dreh dich nicht um

12

Ein schwarzer Spiegel die Nacht schaut sich ins Angesicht blindlings der Sternenkamm zaust ihr durchs Haar das Meerhäschen auf deiner Schulter Prinzessin du suchtest vergebens fünfäugig das Gestirn des Raben schwingt sich davon die Flugfeder auf dem Kopfstein unter dem Pflaster kein Strand hinter der rauhen Schale eine taube Nuß ein Windei aus den Gittern tritt niemand ins Freie Menschenschädel auf Stangen gespießt dein Skulpturenpark Prinzessin er lächelt er winkt dir mit abgebrochener Hand Fontänen sprudeln aus Mündern und Ohren unter den stillen Wassern lauern Felsen und Untiefen am Brunnenrand zerschellte ein Schiff kein Sindbad war an Bord kein roter Korsar nicht Käpten Nemo noch Ahab Vogelkot Krähenscheiße ätzt nur den Marmor eine leere Flaschenpost Prinzessin gibt Nachricht vom Ende der Märchen

Die Autoren

Achim Anderer

Hinter dem Pseudonym Achim Anderer verbirgt sich Dr. Michael Soeder, der von sich sagt: „Wenn ich schreibe, bin ich ein anderer."
Geboren 1921 in Darmstadt, Studium der Kulturwissenschaft und Medizin in München, Marburg und Frankfurt, unterbrochen durch Kriegseinsatz in Rußland und Italien. Tätigkeit als Nervenarzt in Darmstadt, ärztlicher Leiter der Anstalten „Gustav-Werner-Stiftung" in Reutlingen, Lehrbeauftragter für Psychosomatische Medizin an der Ruhruniversität Bochum, zuletzt Chefarzt der Fachklinik Fredeburg im Sauerland, wo er heute im Ruhestand lebt.
In den ersten Nachkriegsjahren verdiente er sich das Brot durch journalistische Tätigkeit beim Rundfunk und bei Tageszeitungen, gehörte dann zur legendären Autorengruppe 47, war Gründungsmitglied, später Vizepräsident und Präsident des Verbandes Deutscher Schriftstellerärzte. Neben Fachaufsätzen und Essays schrieb er eine Reihe medizinischer Sachbücher. Bekannt wurde er vor allem durch seine Romantrilogie „Die bittere Arznei der Zeit", die Kriegs- und Nachkriegserlebnisse aufarbeitet. Außerdem erschienen drei Gedichtbände, zuletzt im Jahre 1990 „Wer weiß denn, was bleibt?"
Achim Anderer ist Mitglied der Christine-Koch-Gesellschaft.

Jürgen Diehl

Geboren 1956 in Bruchhausen/Ruhr, Abitur 1975, 1976 Schüler bei Helmut Korhammer, Münster, 1977 Gaststudent am Institut für Kunsterzieher, Münster, 1980 - 1983 Studium der Literaturwissenschaft, Philosophie und Pädagogik in Münster, seit 1983 Unterricht in Kunst und Literatur an Volkshochschulen, freier Mitarbeiter beim WDR Dortmund, 1985 Teilnahme am Arnsberger Kurzgeschichten-Kolloquium, Jurymitglied, Gründungsmitglied der Künstlergruppe „Der Bogen", Mitglied im Verband Bildender Künstler. Seit 1978 Tätigkeit als freischaffender Künstler. Einzelausstellungen und Beteiligung an Gruppenausstellen im In- und Ausland, u.a. in Arnsberg, Soest, Hagen, Iserlohn, Gütersloh, Köln, Berlin, Deventer, Alba Julia.
Neben Illustrationen und Texten in Ausstellungskatalogen veröffentlichte Jürgen Diehl bisher zwei Gedichtbände: „Feinschüttgut"(1984) und „Wartburgeck"(1993). Im Jahr 1994 hatte er eine Ausstellung in Linköping in Schweden: Performance und Uraufführung von Sprechstücken für vier Stimmen.

Dr. Mathias Knoll

Geboren 1949 in Stuttgart, Kindheit in Teheran/ Persien verbracht, da der Vater Auslandsarzt war. Nach dem Abitur Studium der Medizin in

Bonn, lebt seit 1983 als praktischer Arzt in Arnsberg/Sauerland. Im Jahre 1973 Eheschließung mit der Lyrikerin Maria Knoll-Tymister, inzwischen geschieden, 1977 Geburt der Tochter Katja. Im Jahre 1978 mehrmonatiger Studienaufenthalt auf Kreta. Mehrere Semester Studium im Atelier für Bildende Kunst, Bonn. Seit 1971 Ausstellungen von Zeichnungen/Grafik in Hamburg, Bonn, Köln, Essen, Salzburg, Marburg, Karlsruhe, Dortmund und anderen Städten.
Zahlreiche Veröffentlichungen von Lyrik und Prosa im Rundfunk, in Zeitungen und Zeitschriften, so im SWF, im Ärztlichen Reise- und Kulturjournal, im Deutschen Allgemeinen Sonntagsblatt, in der Neuen Zürcher Zeitung, in der F.A.Z. 1984 erschien sein Prosabuch „Ein Denkmal für einen Deserteur", aus dem die Texte für dieses Bändchen stammen, 1989 sein Lyrikband „Zwischenbericht".
Mathias Knoll ist Mitglied der Schriftstellergruppe Osnabrück sowie der Christine-Koch-Gesellschaft.

Maria Grünwald

Geboren 1930 in Passau/Niederbayern, aufgewachsen in Westdeutschland und Passau, Abitur und Studium der Pädagogik in Essen, Lehrerin am Niederrhein, Heirat 1954, Aufgabe des Berufes, wunschgemäß sechs Kinder, Hausfrau und Mutter, seit 1968 Wahlsauerländerin, lebt in Menden.
Zusammen mit ihrem Mann unternahm sie zahlreiche Exkursionen und Studienfahrten ins In- und Ausland. Die wissenschaftliche Beobachtung von Flora und Fauna beeinflußte stark ihr kreatives Schaffen. Tätigkeit als Bildweberin mit selbstgesponnener und pflanzengefärbter Wolle, Ausstellungen im Sauerland und in Frankreich. Seit Jahren schreibt sie Essays und Lyrik, darunter viele Naturgedichte, für verschiedene Zeitungen und Zeitschriften. Beiträge in mehreren Anthologien. 1993 veröffentlichte die Stadt Menden ihren Lyrikband „ Stroh zu Gold spinnen".

Hanne Schleich

Geboren im Jahre 1916 in Köln, aufgewachsen im Kreis von neun Geschwistern. Mutter früh verloren, als Kind acht Monate in den Niederlanden, später erneut dreijähriger Aufenthalt dort. Während des zweiten Weltkrieges Heimleiterin verschiedener Heime, die keiner NS-Organisation unterstanden, was auch soviel wie „Erholung von politischen Zwängen" bedeutete. Nach dem Krieg Wiederaufbau der beruflichen und privaten Existenz.Tätigkeit als Sekretärin, Abteilungsleiterin und Auslandskorrespondentin, als Hausfrau und Mutter von drei Kindern. Anläßlich einer schweren Krankheit und Operation faßte sie den Entschluß: „Wenn ich überlebe, lasse ich alles hinter mir und fange an zu schreiben." – Erst mit 64 Jahren brachte sie ihren ersten

Roman im Selbstverlag heraus: „ Hauptsächlich Schnürriemen“. Seitdem hat sie nicht mehr aufgehört zu schreiben. Mittlerweise sind elf Bücher erschienen. Der Erfolg blieb nicht aus: Ein Werk erschien als Vorabdruck in einer großen Tageszeitung. Verlage wie Eugen Salzer, Spee und Benziger verlegen Hanne Schleich. Ihr aus dem Holländischen übersetztes Buch „ Wo ist denn meine Brille“ liegt bereits in zwölfter Auflage vor.
Sie wird in die Jury zum Arnsberger Kurzgeschichtenpreis berufen, erhält 1987 den Fachinger Kulturpreis, 1991 den Kulturpreis der Gemeinde Schleich/Mosel, wird dort Dorfschreiberin.
Hanne Schleich ist Mitglied des Freien Deutschen Autorenverbandes, des Autorenkreises Ruhr-Mark und der Christine-Koch-Gesellschaft.

Ten Haaf

Wilhelm Tenhaef (Pseudonym Ten Haaf), geboren 1952 in Erbach/Taunus, Abitur 1971 in Hadamar/Westerwald. Studium der Germanistik und Theaterwissenschaft in Köln, seit 1981 Lehrer für Deutsch und Philosophie am St.-Franziskus-Gymnasium in Olpe/Sauerland. Unterbrechung des Studiums durch Zivildienst, längeren Aufenthalt in Griechenland, landwirtschaftliches Praktikum, Regieassistent bei Heyme und Ciulli am Kölner Schauspielhaus. Jobs als Möbelpacker, Pförtner, Fahrer. Live-Musik in Kneipen, Aufführung selbstgeschriebener Theaterstücke. Seit 1981 verheiratet mit einer Sauerländerin, zwei Kinder, lebt in Welschen-Ennest.
Seit Jahren schreibt Ten Haaf für den Rundfunk: „ Sendung mit der Maus“ (WDR), „Ohrenbär“ (SFB), satirische Texte (NDR). Im Jahr 1988 erschien sein Kinderbuch „Wenn Papa Winterschlaf hält“ bei Ellermann in München, 1994 seine Erzählung „Taugenichts II“, aus der in diesem Band ein Kapitel gebracht ist. Ein Kinderroman ist in Vorbereitung. Ten Haaf vertonte 30 Lieder von Gottfried Benn. Ten Haaf ist Mitglied der Christine-Koch-Gesellschaft.

Dr. Walter Wehner

Geboren 1949 in Werdohl/Westfalen, aufgewachsen in Essen, lebt heute in Iserlohn im Sauerland. Studium der Germanistik und Kunstgeschichte, Tätigkeit im Buchhandel, heute Studienleiter für Literatur und Theater an der Volkshochschule Essen. Unverheiratet, eine Tochter.

Walter Wehner schreibt Gedichte und Prosa, Hörspiele und Theaterstücke. Er betreibt ein umfangreiches Lyrik–Archiv mit derzeit rund 5000 Ausgaben. Seit 1986 ist er gemeinsam mit dem Essener Autor H.P. Karr (Reinhard Jahn) als Verfasser von Kriminalgeschichten hervorgetreten, 1994 erschien ihr erster gemeinsamer Roman „Geierfrüh-

ling“ im Haffmanns Verlag, Zürich, 1995 erscheint ihr zweiter Roman „Rattensommer“.
Im Jahre 1985 erhielt Wehner den Kulturpreis der Stadt Velbert, 1986 den Literaturpreis Ruhrgebiet. Das Autorenduo Karr & Wehner wurde 1988 mit dem Walter-Serner-Preis ‚Berlin, ausgezeichnet, 1990 mit dem Walter-Hasenclever-Preis der Stadt Aachen sowie mit dem Literaturpreis Ruhrgebiet (Förderpreis). 1991 folgte der Preis der Gruppe Bochumer Autoren. Walter Wehner ist Mitglied im Verband Deutscher Schriftsteller in der IG Medien.

Quellennachweis

Achim Anderer
„Vor fünfzig Jahren“; Originalbeiträge für dieses Buch.

Jürgen Diehl
„Kein Zeichen frei von Wunsch“ und „Sechs Gedichte“; Originalbeiträge für dieses Buch.

Maria Grünwald
„Leben“, „Hochsommer“, „Herbstsegen“, „Erinnerungen“; alle aus: Maria Grünwald, „Stroh zu Gold spinnen“, Gedichte 1986 – 1992, Stadt Menden, 1993.
„Wegwarten“, „Sommersonne am Berg“, „Widerhall“; Originalbeiträge für dieses Buch.

Mathias Knoll
„Reise nach Verdun“, aus: Mathias Knoll, „Ein Denkmal für den Deserteur“, Bläschke - Verlag 1984 (vergriffen).

Hanne Schleich
„Scheveninger Impressionen“; Originalbeiträge für dieses Buch.

Ten Haaf
„Taugenichts II“, aus dem gleichnamigen Buch von Ten Haaf, AY - Verlag, Olpe 1994.

Walter Wehner
„ In den Wind geschrieben“; Originalbeiträge für dieses Buch.

Wer mit Literatur lebt, lebt bewußter.
Die Christine Koch-Gesellschaft hilft dabei.

Vor zwei jahren wurde die „Christine-Koch-Gesellschaft zur Förderung der Literatur im Sauerland e.V." gegründet. Der Name ist Programm: Förderung der Literatur im Bergland an der Ruhr durch literarische Veranstaltungen und Veröffentlichungen. Dabei ist die Pflege des literarischen Erbes ebenso wichtig wie die Förderung der heute im Sauerland Schreibenden.

Was bietet die Gesellschaft?

Über 15O Mitglieder sind beigetreten. Das wird verständlich, wenn man weiß, was die Christine-Koch-Gesellschaft zu bieten hat:

- Lesungen und literarische Geselligkeiten
- Literaturfahrten und Ausstellungen
- Vorträge über Leben und Werk der Autoren
- Begegnungen mit den Schriftstellern und Schriftstellerinnen Veröffentlichungen und Jahresgaben

Wer kann Mitglied werden?

Jeder kann Mitglied werden: Privatpersonen, Buchhandlungen, Institutionen, Vereine. Es geht um Literatur für jedermann, für jedefrau. Die Christine-Koch-Gesellschaft ist keine plattdeutsche Vereinigung und kein Autorenclub. Alle, die Freude an der Literatur haben, sind eingeladen, beizutreten.

Wo erfahren Sie Näheres?

Auskunft und Aufnahmeanträge bei der Geschäftsstelle:
CKG, Postfach 1140, 57376 Schmallenberg
Telefon 02972/980201, Telefax 0 29 72/7980480